제주도 토박이
첫경험

나도
처음이야

저자 오용선

제주에서 태어나고 자란 토박이 워킹맘.

제주를 떠나본 적 없지만, 이주민보다 제주를 더 모른다. 20대부터 공방을 오랫동안 운영하면서 일 중독자로 지냈다.

어느 날 번아웃이 왔다. 잠시 멈추면서 나를 찾기 시작했다. 잃어버린 나를 찾기 위해 내가 좋아하는 것을 하나씩 도전하고, 성장하면서 N잡러가 되었다.

나에게는 기록, 누군가에게는 도움이 될 수 있는 글들을 블로그에 쓰기 시작하며, 제주에서 일상을 여행처럼 즐긴다.

함께 해주는 사람 : 차니 (공식 명 : 은찬)

블로그 https://blog.naver.com/sunny_life02

나도 처음이야

글 오용선   표지그림 이은찬

제주도 토박이
첫경험

일단 써! 처음 시작의 두려움과 설렘, 걱정과 근심은 어느새 경험을 통해 실패라 하더라도 조금씩 성장한다. 칭찬받고 싶은 워킹맘이 아이 이야기가 아닌 나의 이야기를 기록한다. 기록하며 나를 알고, 날 닮은 아이를 알게 된다. 건강하게만 자라다오? 건강했더니 이젠 또 다른 변수가 생긴다. 육아는 계획대로, 내 맘대로 되지 않는다. 그럴 때마다 조급해지지 않고 잠시 쉬어간다. 나도 처음이고, 아이도 처음이라 누군가에겐 익숙하고 당연한 것들이 우리에겐 버라이어티하다. 나의 시간과 너의 시간을 만들면서 우리의 시간을 소중하고 감사하게 보낸다. 평범한 일상에서 즐거움을 하나씩 찾는다. 미루고 미루다 일단 써버린 나의 첫 오픈 일기장 두둥!

1장

일단 써

2장

나를 알고 너를 알고

3장

인생은 계획대로 되지 않아

4장

나도 처음이야.

5장

누가 보나요?

6장

제주토박이 첫 경험

서문

　기억력이 좋지 않다. 기록용으로 블로그에 글을 쓰기 시작했다. 그러면서 누군가에게 도움이 되는 글들을 적기 시작했다. 글솜씨는 없지만, 조금이라도 도움이 된다면 뿌듯했다. 어느 날 아이가 엄마 어릴 적 이야기를 해달라 했다. 지우고 싶었던 과거의 기억이 흐릿해질 때쯤이었다. 초등학교 입학한 아이를 보면서 나 역시 초등학생으로 돌아간 것 같았다. 나의 어릴 적을 기억하며 아이의 행동을 하나씩 이해한다. 나도 처음이라 모르는 게 많다. 어릴 적 많은 경험을 해보지 못해 지금 많은 것을 도전하게 되었다. 워킹맘으로 번아웃이 온 순간, 나부터 조금씩 챙기기 시작했다. 내가 충전된 후에 아이를 돌보니 어디서부터 오는 힘인지 기운이 나기 시작했다. 감사 일기를 쓰며 하루하루가 감사했다. 내가 즐거우니 아이도 웃음이 늘어났다. 내 아이와 함께 새로운 경험을 쌓는다. 초등학교에 적응하는 아이도, 학부모를 경험하는 엄마도, 울고 웃으며 성장한다. 언젠가 힘들고 지칠 때 나도, 아이도 이 책을 보면서 첫 도전의 두려움 따위는 아무것도 아니라고 용기를 주고

싶다. 나와 너, 제주 토박이 첫 경험, 우리는 그렇게 하나씩 도전하며
일상을 여행처럼 즐긴다.

1장 일단 써

에세이? 글쓰기? 일기? 기록? 일단 써!

주말, 아이를 맡기고 일하고 돌아오는 길에

이미 글쓰기 다짐이 시작되었다.

처음이에요.

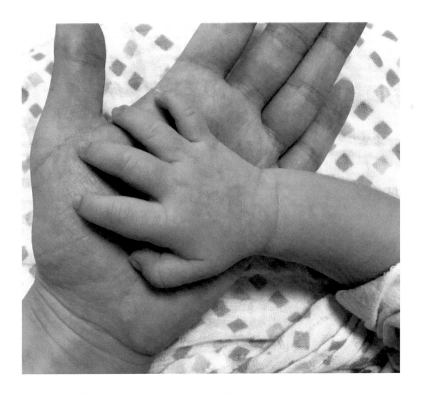

주말, 일을 끝내고 돌아오는 버스 안

지인이 "육아 책 내볼래?"라고 물었다. 정확하게 기억나진 않지만 "내가 무슨 책을 써~" 라고 거절했다. 잠시 고민하다, 두려움은 많지만, 좋은 기회에 새롭게 도전하는 걸 해보고 싶어서 우선 신청서 보내주라고 했다.

공모전에 올리는 글이 아닌 나의 육아 에세이를 기록한다는 생각으로 글을 써도 된다는 신청서 글에 힘이 났다.

"네! 해볼래요!"

그렇게 나의 글쓰기 도전은 시작되었다.

'그래! 블로그에 글 쓰듯이 아이와의 추억 남기기 해보자! 틈틈이 하면 되겠지!

매일 기록하다 보면 되겠지! 싶어서 블로그에 매일 일기 쓰기 시작했다.

작심삼일인가? 매일 단톡방에 인증한다는 마음으로 글쓰기를 시작했는데 다른 분들의 글이 심상치 않다. 글을 너무 잘 쓰네? 큰일이다! 갑자기 글쓰기를 멈춰버렸다.

할 수 있을까요?

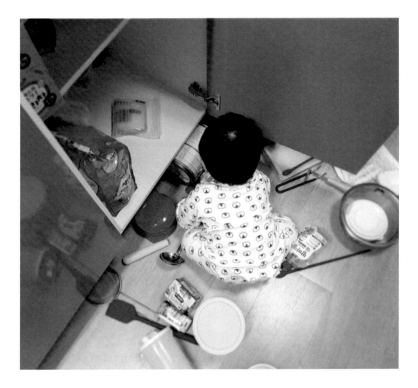

글을 읽는 것도 잘 하지 않는데, 글을 쓰다니! 이렇게 글을 써도 될까? 고민이 생길 때마다 처음 마음가짐으로 돌아간다. 일단 쓰고 소중한 추억을 남기자. 근데 이게 뭐지? 기록할 틈도 없이 바쁘기 시작했다.

초등학교 입학한 아이가 잘 적응하다가 하나둘씩 일이 생기기 시작했다. 한가하던 업무가 늘어나기 시작했다. 아이와 놀아주다 손을 다쳤다. 매일 밤 피곤함에 육퇴하면서 함께 잠들어 버린다.

응?

할 수 있을까?

쓸 수 있을까?

분명 글쓰기는 시작했다. 어쩌면 하고 싶은 게 너무 많은 나의 욕심이다. 일단 시작하면 끝까지 해야 하는데 잘 마무리할 수 있겠지? 아직 시간 여유가 많다고 생각하면서 자꾸자꾸 뒤로 미루기 시작해 버렸다. 시간은 흐리고 마음은 자꾸 불편한 상태가 되었다.

칭찬은 고래도 춤추게 한다.

  블로그에 에세이 작가에 도전한다고 기록했더니 이웃님들 댓글이

힘이 되었다. 글은 그냥 쓰는 거라고 했다. 어떠한 목적이나 누구에게

보여주기 위함이 아니라 그때그때 솔직하게 느끼는 감정들을 기록하

는 것이 가장 아름다운 글이라고 했다. 또 어떤 분은 글이 깔끔하고

술술 익힌다고 했다. 한마디 한마디 말에 힘이 되었다. 그러고 보니 지

금도 솔직하게 술술 적고 있다. 다만, 시간 부족으로 정리가 안 될 뿐.

역시 처음일 때는 혼자 끄적끄적하는 것보다 여기저기 떠드는 게 맞다. 일단 떠들었으니 응원도 받는 것 같다. 응원 힘에 또 시작할 수 있다. 응원받았으니 무슨 일이 있어도 마감을 해야 한다. 잠깐 칭찬받고 멈춰버렸다. 어쩌지? 누가 더 칭찬해 주면 안 될까요?

아이가 첫걸음마를 했을 때 엄청나게 칭찬했다. 그 이후에는 걷는 거에 대해 또다시 칭찬하지 않는다. 당연한 게 돼버렸다.

계속 칭찬받고 싶은 나. 그 마음을 알기에 아이에게도 칭찬을 많이 하려 노력한다. 처음 시작하는 아이는 완벽해지고 싶어 한다. 실패가 두려워서 시작조차 하지 않는다.

어릴 적 나도 새로운 도전을 해본 적이 별로 없는 것 같다. 그냥 평범한 일상이었으며 큰 사고가 없었다. 그렇게 평탄하게 어릴 적 시간이 흘러버려 아직도 모르는 게 많다. 지금 이것저것 하고 싶은 게 많은 것도 어릴 적 많이 경험해 보지 못한 아쉬움으로부터 시작되었던 것 같다. 하고 싶은 게 많은 것도 누군가는 결핍이라고 했다. 그런가? 그럼 아이만큼은 결핍이 최대한 생기지 않도록 나의 다양한 도전 경험을 나눠 주고 싶다.

스스로 칭찬하자! 잘하고 있어! 그리고 아이에게도 무한 칭찬하자!

정말 잘하고 있어!

아이의 이야기? 나의 이야기!

아이의 이야기를 써볼까?

아이와 함께하는 이야기를 써볼까?

그러기에는 아이와 함께하는 시간이 많지 않다. 약간 불량 엄마이기도 하다. 너무 지쳐버린 일상에 나부터 숨 좀 쉬자! 라는 생각으로 조금씩 놓아버린 것 중에 완벽하지 않아도 되는 엄마도 있다.

집에서는 쉬고 싶어지고, 에너지가 떨어진다. 아무것도 하기 싫은 나를 발견하고, 무엇이라도 해야 할 것 같아서 아이와 밖으로 나가기 시작했다. 별거 없다. 그냥 걷고, 꽃구경하고, 나무 보면서 이야기 나눈다. 제주에서 살고 있다는 것에 더욱더 감사하게 되는 시간이다.

뭔가 특별하게 놀아줘야 할 것 같지만, 숨바꼭질, 술래잡기, 모래놀이에도 즐거워하는 아이. 나 역시도 소소하고 확실한 행복, 〈소확행〉을 꿈꾼다. 일주일에 한 번은 즐기자.

정말 내가 원하는 게 무엇인지 나를 알아가는 시간이 부족하다. 아니, 집중하지 못한다. 글을 쓰다 보면 정리가 되고 나에 대해 생각하게 될까? 그렇게 시작한 나의 이야기! 온전하게 하루의 시간을 나에게 쓰면 더 좋을 텐데 가만히 있지 못한다.

미루고 미루다 갑자기 즉흥적으로 글을 쓰는 나를 발견한다. 그러다 보면 날것의 내 모습이 나오고 뭔가 정리되지 않는 것 같겠지만 그 또한 나의 이야기이니, 완성되면 머리를 쥐어박으면서 느끼는 게 있겠지? 뒤죽박죽 글을 보면서 부끄럽겠지만, 왠지 모를 좋은 예감이 드는 건 뭘까?

100% 솔직한 나의 이야기를 하지 못할지도 모르겠다. 가끔 나도 나를 모를 때가 있다. 그때마다 다르다. 상황에 따라 다르고, 사람에

따라 다르다. 그래도 나의 이야기를 시작해 보려 한다.

내가 진짜 원하는 게 뭐야!

　　몇십 년을 업무에만 집중했다. 그게 나의 전부였다. 그러다 잠시 멈
췄을 때 몸과 마음이 망가져 버린 나를 발견하게 되었다.

그래서 정말 내가 원하는 게 뭘까?

목표를 잡고 달리기만 했다. 멀리 보지 못하고 앞만 보게 되었다. 문득, 멈췄을 때 나조차 나를 사랑하지 않고 있다는 것을 알아차리게 됐다. 주변이 모두 행복하지 못했다. 누군가를 챙길 힘도 없었다. 누군가에게 사랑받기 위해 나부터 사랑해야 한다. 나도 나를 사랑하지 않는데 누가 나를 사랑할 수 있겠는가. 그렇게 나를 사랑하는 방법을 조금씩 배우기 시작했다.

뭐부터 해볼까?

일단 나를 위해 예쁜 옷을 사볼까?

내가 어려운 건 거절도 해볼까?

내가 못 하는 건 내려놓아 볼까?

고민하지 말고 일단 질러볼까?

그렇게 조금씩 주변 눈치 보지 않고 내가 하고 싶은 것을 하기 시작했다. 낮에 놀아도 봤다. 낮에는 늘 업무만 하던 나에게는 일탈이었다. 사고 싶은 게 있으면 고민하지 않고 그냥 사기도 했다. 다른 사람이 부탁하는 걸 거절하기도 했다.

여행을 많이 다니지 못해서 매년 비행기를 타야지 했었지만, 코로나로 멈춰버렸다. 육아로 장거리 여행은 꿈도 꾸지 못했다. 그래서 마음을 바꾸기 시작했다. 제주에서 일상을 여행처럼 살기로 했다. 아이가 어린이집 간 사이에 일 안 하고 놀기도 해봤다. 처음에는 뭔가 크게 잘 못하고 있는 느낌이었다. 왜? 잠깐 내가 쉰다는 데 문제 있어?

2장 나를 알고 너를 알고

나를 알고, 나와 닮은 너를 알고

#02
나를알고
너를알고

아이는 부모의 거울

모래로 가득한 운동화를 아이 아빠가 깨끗하게 빨아줬다. 그리고 다음 날, 모래놀이한 아이 운동화는 더러워졌다.

'어차피 또 더러워질 테니 다음에 빨자'라며 나는 그냥 놔뒀다. 매일 모래 놀이하면서 더러워질 테니 조금 잘 털고 신으면 돼. 매일 매일 운동화를 빨 수 없으니까.

아이 아빠는 늦게 귀가하고 피곤할 텐데 또 더러워진 아이 운동화를 깨끗하게 빨았다. 정성스럽게 빤다. 그렇게 우리는 서로 다르다. 다름을 이해하는 데 오랜 시간이 걸렸다. 아직도 다름을 이해하지 못할 때가 많다. 그사이에 태어난 아이.

아빠의 모습과 엄마의 모습이 보인다. 그리고 전혀 예상하지 못한 모습을 보일 때 나는 많은 생각을 하게 된다.

아직도 나를 알지 못하는데 어떻게 아이를 다 알 수 있을까? 아이 역시 아빠와 엄마의 다른 모습에 얼마나 혼란스러울까?

외모도 아빠를 꼭 닮은 아이. 태어나면서부터 아빠 닮았다는 말이 가끔 섭섭할 때도 있다. 그러다가 가끔 누군가 "엄마 닮았네요~"라고 하면 입가에 미소가 번진다.

나의 아이라는 존재만으로도 사랑스럽고 행복하며 감사하다. 그래서일까? '건강하게만 자라다오'라는 바람이 초등학교에 입학하자 선생님 말씀 잘 듣고, 친구들과 사이좋게 지내고, 밥 잘 먹고 등등 바람이 점점 늘어나기 시작했다.

나의 어릴 적을 기억해 보았다. 학교에서 앞에 나가서 발표하는 게 떨리고 싫었다. 씩씩하게 나가서 발표하는 아이의 모습을 보며 대견함을 느낀다. 나는 율동도 잘 못 하는 몸치다. 음악 시간도 제일 싫었다.

아이 역시 사람들 앞에서 율동하는 걸 싫어하지만, 노래를 나보다 더 잘 부른다. 그렇게 나보다 더 잘하는 아이다.

엄마보다 더 멋있는 아이다. 밤에 이 글을 쓰면서 또 눈물을 흘리고 있지만, 우리 아이 잘하고 또 잘하고 있다. 100개 중에 나보다 더 많이 잘하고 있는데 남들과 다르다고 이상하게 바라보지 않았으면 좋겠다. 누군가는 특별하다 하고, 누군가는 이상하다 한다. 내가 해결 방법을 알려주지 못해서 아이도 힘들어한다. 나의 잘못도 아니다. 우리는 몰랐을 뿐이다. 하나씩 노력하면 된다. 아이는 부모의 거울. 내가 더 잘하자. 그리고 잘 알려주자.

내가 좋아하는 것

　내가 좋아하는 건 뭘까? 글쓰기를 좋아하는 건 아니지만 다이어리 꾸미고 정리하는 걸 좋아한다. 그렇다고 잘 꾸미는 것은 아니다. 사진 찍는 걸 좋아한다. 그렇다고 잘 찍는 건 아니다.

　완벽하지 못해서 늘 자신이 없었다. 못한다고 생각했다. 잘하고 싶었다. 최고는 아니지만, 누군가에게는 부러움의 대상이었다. "저도 잘

하지 못해요, 마음만 먹으면 누구든 할 수 있어요! 함께해요!"라며 누군가에게는 용기를 주고 함께 시작했다. 그렇게 나는 완벽하지 않지만, 좋아하는 것을 사람들과 함께했다. 그로 인해 뿌듯함도 생기고 나를 사랑하게 되었다.

완벽한 다음에 시작해야지! 준비 잘하고 시작해야지! 그러면 이미 늦었다. 기회를 놓칠 때도 있다. 타이밍이 안 맞을 때도 있다. 그렇게 내가 좋아하는 것! 일단 시작해!

어릴 적, 노래도 못 부르는데 음악부에 들어갔다가 엄청나게 못 하고, 남들 앞에서 노래 부르는 게 싫었던 기억이 난다. 그 이후로 음악 시간은 늘 싫었다. 우연히 미술부에 들어가서 그림을 그리고 상을 받기 시작했고, 대회에 나가기 시작했다. 잘 그리는지는 모르겠는데 상을 받아오면 아빠가 메달을 집에 걸어두곤 했다.

달리기를 못 하는데 갑자기 달리기를 잘하다 보니 운동회 계주는 늘 대표로 나갔다. 더 노력하지는 않았다. 우연한 기회가 있었고 상황이 좋았다.

고등학교를 입학하고 나보다 그림을 더 잘 그리는 사람들이 있었고, 나보다 더 잘 뛰는 사람들이 있었다. 그런 현실에 나는 부족하다고 생각하고 포기해 버린 것 같다.

아이가 종이접기하고 온다. 처음에는 잘하지 못했는데 이제는 잘하기 시작하니 매일 새롭게 종이접기를 하고 온다. 처음에는 어려워했지만. 점점 좋아하고 있다.

"접어오는 종이접기 어떻게 할까?"

"응! 종이접기 보관함 만들어줘!"

좋아하면서 즐겁게 하고 있는데, 말 한마디에 하고 싶지 않을 때가 있다. 그런 마음이 들지 않도록 좋아하는 것을 많이 할 수 있게 해주자.

내가 좋아하는 것, 잘하지 못하지만, 좋아하는 것 그것을 할 수 있다는 것 자체가 행복이다.

일할 때는 외향형이지만, 사실은 내향형

　열정 뿜뿜 일 할에는 적극적으로 온 에너지를 사용하지만, 집에 오면 에너지 고갈되는 나. 사회생활 하면서 외향형으로 의도적 노력을 하지만 사실은 내향형이다. 깊이 있는 대인관계를 좋아하며, 조용하고 신중하다. 말보단 글로 표현하는 걸 좋아해서 문자로 소통하는 게 더 편할 때가 종종 있다. 이해한 다음에 경험하는 성격이다. 그러다 보니 적극적으로 행동하지 못했던 적도 많다. 일할 때는 세상 사교적이지만, 개인적으로 만나면 불편한 사람처럼 온통 표정이 긴장되어 있다. 누가 먼저 말 걸어주지 않으면 먼저 말하지 않는다. 싫은 게 아니라 낯가림이다.

사람은 잘 변하지 않는다고 하지만 나는 변화하고 있다. 사람들에게 말 거는 걸 좋아하지 않지만 내가 마음에 들면 말을 걸기 시작했다.

그러다가 길에서 만난 소중한 인연은 지금까지도 나의 긍정 멘토가 되었다. 나는 짝퉁 선한 영향력이었지만, 진짜 선의의 힘을 만났다.

평소 부정적이지만 의도적으로 긍정적인 사람이 되려고 노력한다. 하지만 주위에서 부정 에너지가 강하게 오면 나 역시 무너질 때가 많다. 그럴 때마다 늘 긍정적으로 나를 예뻐해 주고 응원해 주는 소중한 사람이다. 그때 알았다. 나는 참 행복한 사람이다.

현실주의자! 책임감 갑, 약속을 위해서는!

인내심이 강해서 오래 매달리기, 오래달리기를 잘한다. 하나 시작하면 끝장 보기 한다. 보기 시작한 드라마가 재미없어도 끝까지 보고 있는 나를 발견하곤 한다. 나의 선택을 끝까지 믿는 건가? 쓸데없는 의리인가? 어려움이 있어도 한번 시작한 것은 끝까지 하기에 책임감이 있다고 한다. 약속이 중요하다. 그래서 자원봉사 하는 날 50만 원짜리 업무가 들어와도 미리 약속한 자원봉사를 먼저 한다. 그러다 보니 그 자원봉사 일정이 취소되면 심한 스트레스를 받기도.

그런 나는 우리 아이에게 얼마큼 약속을 잘 지키는 엄마일까? 그러다 보니 약속했다가 못 지키는 것보다 확실하지 않은 약속은 하지 않게 된다. 그런데도 일 때문에 아이와의 약속이 바뀔 때가 종종 있다. 그럴 때마다 정말 미안하다. 그렇다고 늘 계획대로 흘러가지 않잖아? 변수가 있을 때 아이와의 해결법을 하나씩 찾아간다. 늘 고마운 나의 형제, 가족과 함께한다.

누가 중요해?

책임감도 있고 다른 사람의 감정이나 상황을 잘 이해하고, 주위를 돌아보다 보니 대인관계가 조화롭지만, 그런 나로 인해 아이를 돌아보지 못할 때가 있다.

아프다가도 약속이 있으면 아픈 몸을 이끌고 나갔던 어린 시절. 어느 날 약속이 중요해서 놀고 싶어 하는 아이에게 엄마의 약속을 이야기했다.

"엄마! 엄마는 내가 중요해? OO 이모가 중요해?"

아뿔싸! 그러다 보니 놓치는 것들이 있었다. 세상 누구보다도 소중한 아이와의 약속을 먼저 하지 않았다. 혹시 아이와 약속했다가도 업무가 있으면 못 지키는 일도 있었다. 그 상황이 너무 싫었다. 스트레스였다.

어릴 적 개근상을 타던 나다. 어린이집을 보낼 때 업무를 해야 해서 아파도 보내야 했다. 어느 날 아이가 말했다.

"엄마, 다른 친구는 아프면 어린이집 안 가는데 나는 왜 가?"

출퇴근하는 직장인에게는 당연하다. 자영업을 하고 있으면 시간이 자유롭다고 생각하는데 시간 조절이 더 안 될 때가 많다. 패턴이 없다. 늘 변수다. 아이를 위해 조금씩 일을 내려놓았다. 야근하거나 엄마와 떨어져 있는 시간이 많은 날 다음 날은 어린이집 가기 싫어했다. 가더라도 그날 아이 컨디션은 좋지 않았다. 조금씩 업무를 내려놓고 아이에게 집중했다. 아이와 특별한 시간을 보냈다. 물론 피곤해서 다음날은 꼭 어린이집 보냈다.

글을 쓰다 보니 자기반성의 시간이 된다. 아이에게 좀 더 사랑해 줘야겠다는 생각이 든다. 언제는 안 사랑했겠는가. 더욱더 더 사랑하자.

항상 같이 있어서 몰랐던 소중한 내 사람들에게 남보다 먼저 더 사랑하고 또 사랑하자.

누가 중요해? 내가 중요해! 그리고 우리가 중요해! 우리가 먼저야! 예의를 중요시하던 내가 싸가지 없어지기로 했다.

3장 인생은 계획대로 되지 않아

계획적인 내가 즉흥적으로 변하고 있어!

인생은 계획대로 되지 않아

오늘도 계획대로 되지 않은 하루를 보냈다. 다시 새벽에 눈을 뜨고 하루를 정리한다. 해야 할 일을 차례로 하다 보면 급하진 않지만, 중요한 일을 뒤로 미룰 때가 많다.

나의 글쓰기는 어디쯤 있을까? 꼭 해야 할 일은 아니라는 생각에 글쓰기 순위가 자꾸 밀려나기 시작한다. 시간을 내고 써야지! 하다 보니 시간이 없다. 근데 그거 아니? 가만히 앉아있다고 해서 글이 써지는 건 아니야~! 그냥 내가 안 하는 거지! 핑계 대지 말 것! 부끄럽다. 요즘 계속 업무 말고는 모든 일을 미루기 시작했다. 왜 그런 거니? 계획대로 되지 않는 인생에 자꾸 계획을 짜지 않는다.

피곤했는지 초저녁부터 잠이 든 아들. 앗싸! 평소에 일찍 자는 편은 아니라 나의 시간이 더 생김에 어찌나 행복하던지! 오래간만에 여유를 갖고 이것저것 해보는데 왜 그렇게 시간은 빨리 흐르는지. 일찍 자고 새벽에 러닝도 하고 독서도 해야겠다!! 하고 마음먹은 다음 날!

갑자기 새벽에 일어나는 너란 녀석. 보통 다시 재우면 자는데 왠지 오늘은 그런 느낌이 안 든다. 그래! 일어나라!

"엄마! 일찍 일어나면 밤에 피곤해서 일찍 자! 그러면 다음 날 일찍 일어나서 학교도 빨리 갈 수 있어!!"

어. 그래. 긍정적인 거지? 그렇게 일찍 아이를 등교시켰다. 그렇게 나의 하루는 평소보다 일찍 시작되었다. 인생은 늘 그렇게 계획대로 되지 않지만. 또 그냥 그렇게 흘러간다. 그러니 크게 걱정할 필요 없다.

계획적인 내가 여유로움? 게으름?

다이어리 빼곡히 계획표가 꼭 있다. 업무할 때 미리 계획해야 한다.

일정도 미리 짜야 한다. 좀 더 시간을 효율적으로 쓰고 싶어서 정확한

시간을 점검한다. 두루뭉술 "오전에 만나, 오후에 만나"를 싫어한다.

의미 없이 흐르는 시간을 싫어한다. 그렇게 빽빽하게 일정을 하나씩

채워나가야 했다.

그런 내가 요즘 느긋해지기 시작했다. 아니, 느긋해진 거 맞아? 게으러진 거 아니고?

하루를 알차게 보내고 온 날, 그냥 자는 게 아쉬워 무언가를 한다. 그러다 보면 의미 없이 흘러가는 시간도 많다. 응? 너무 다르잖아?

분명 여유가 있어서 이것저것 신청했다. 그런데 갑자기 일이 생긴다. 아! 난 하고 싶은 것만 할 수 있는 상황이 아니었지? 현실을 깨닫는 순간! 신청한 거 포기할까? 하다 일단 시작하면 끝을 봐야 하는 나의 성격이 허락하지 않는다. 큰일이다. 할 게 많다.

'아무것도 하고 싶지 않아'

이것저것 신청하고 여유로움이 아닌 게으름을 피우기 시작했다. 하고 싶은 건 많고, 지금 아니면 안 될 것 같고 어쩌지?

아이도 이것저것 집중하지 못한다. 분명 집중력이 좋은 아이였다. 점점 우리는 그렇게 온전히 집중하지 못했다. 익숙해져 버렸다.

'근데 지금까지 몇십 년을 열심히 일만 했잖아. 잠시 쉬어도 괜찮아. 큰일 일어나지 않더라. 괜찮아'

육아는 변수의 연속

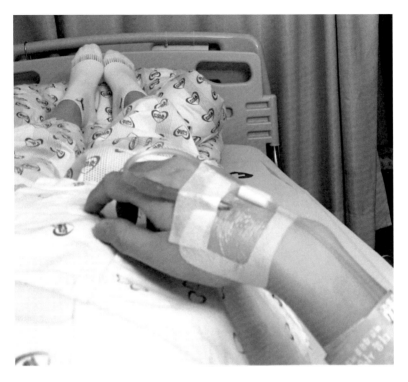

출산 후 조리원에서 2시간마다 전화를 받으며 모유 수유를 했다. 누구는 좀 더 몸을 회복하기 위해 잠을 선택했지만 나는 잠을 포기했다. 아이에게 좀 더 사랑하는 나의 표현이었다. 그러면 아이와 함께 있어야지! 라고 할 수도 있다. 몰랐다. 육아에 답이 어디 있는가. 그냥 내가 좀 더 아이에게 할 수 있는 사랑 표현이었다. 그러면서 내 몸은 힘들기 시작했고 그렇게 나에게 변수가 찾아왔다.

심하게 아파서 100일도 안 된 아이와 헤어지면서 입원하게 되었다. 그때 도와주신 간호사분이 잘못하면 죽을 뻔했다는 말에 내가 너무 바보 같고 계속 눈물이 났다. 그렇게 내 몸은 이미 망가져 있었다. 의사가 지금까지 뭐 했냐고 했다. 모든 게 내 탓이었다. 처음이라 아무것도 몰랐다.

병원에 입원하면서 친정에서 보내주는 아이 사진을 보며 밤마다 울었다. 항생제를 먹고 있어서 모유 수유는 하지도 못했다. 그땐 모유 수유 안주면 큰일이 나는 것처럼 아이에게 한 달도 못 줬다는 생각으로 죄책감에 매일 밤 울었다.

분유를 먹어서 그런지 더 튼튼하게 자란 아이는 밤마다 잠을 잘 잤다. 잘 울지 않았다. 덕분에 나는 잠을 잘 청할 수 있었다. 남들은 밤에 아이가 울어서 잠을 잘 자지 못한다고 하는데 나는 그에 비하면 편안하게 육아했다. 엄마가 아픈 걸 알았는지 아이는 엄마를 힘들게 하지 않았다. 기특하다.

조리원에서도 노트북을 챙겨서 일했으며, 출산 후 아이 100일쯤 지나고 바로 일을 하기 시작했다. 그땐 왜 그랬을까? 책임감이었을까? 내 몸보다 일이 먼저였다.

건강하던 아이가 갑자기 아팠다. 병원을 데려가야 했다. 당연하지만 일하는 나에게는 모든 일정을 비우는 데 큰 노력과 포기가 필요했다. 어느 날 아이를 안고 병원을 다녀오는 길이었다. 계단을 내려오다 넘어졌다. 아이가 다치지 않게 몸을 감쌌다. 다행히 아이는 다치지 않았지만 내 발은 깁스했다.

변수가 생길 때마다 여기저기 부탁하며 다녔다. 부모가 가까이 있다는 것도 정말 감사한 일이었다. 그땐 왜 쉬지 못했을까? 사업을 확장하며 나 혼자가 아닌 여러 사람을 책임져야 한다고 생각했다. 이제 와 생각해 보면 정말 쓸데없는 책임감이었다. 어차피 내가 한 책임과 배려와 관심은 상대방에게 전달되지 못하면 아무것도 아니었다. 평생 함께한다는 말들은 다 거짓말이었다. 그렇게 또 사람에게 상처받았다. 내가 너무 기대했다.

깁스하고 운전하면서 업무를 했다. 내 오른발은 그렇게 잘 치료받지 못했고, 그 이후로 지금도 발이 계속 불편하다. 지금은 잘 걸어야 하는 일을 하고 있지만 그러지 못한다. 그렇게 내 몸을 사랑하지 않았다.

나도 쉬고 싶어!! 마음속 외침이었다.

잠시 쉬어갈게요

모두 힘들었던 코로나에도 업무는 계속 있었다. 오랫동안 쉬지 않고 일한 덕분이었다. 업무가 들어오면 나보단 함께 일하던 사람들부터 챙겼다. 그게 맞다고 생각했다. 하지만 함께 일하던 사람들은 그 업무와 함께 떠났다.

나도 누군가 밑에서 일했었다. 새롭게 내가 하고 싶은 게 생겼을 때는 나의 목표를 이야기했고, 모든 업무를 내려놓고 새롭게 시작했다. 그게 도리라고 생각했다. 그래서 지금까지도 잘 지낸다.

모르겠다. 내 그릇이 아주 작기도 했고, 마음도 지쳐서 다른 사람 마음을 들여다볼 수 없었다. 나의 관심은 어쩌면 잔소리가 됐을지도. 서로 칭찬은 없었다. 함께 성장하는 것은 거기까지였다. 몸과 마음이 많이 지쳐버렸다.

그때마다 늘 내 옆에서 함께해 준 건 고마운 언니였다. 우리는 모두 힘들었고 지쳤다.

"언니, 우리 건강부터 챙길까?"

몸도 마음도 지쳤던 우리는 건강을 먼저 챙기기 시작했다! 일단 살을 빼기 시작했다. 그리고 운동을 시작했다!! 헬스장? 요가? 필라테스? 아니! 돈 들어가는 건 못하겠어! 일단 우리 걷자!!

그렇게 제주에서 걷기 시작했다. 가까운 오름을 가고, 올레길을 걷기 시작했다. 그러면서 가족과 함께 주말마다 걷기를 했다. 몸도 마음도 건강하고 맑아지는 기분이었다. 몸이 가볍고 마음도 즐거우니 에너지도 다시 생겼다! 그러다 보니 육아가 힘들지 않았다. 아니, 힘들지 않았다고 하면 거짓말이지만 건강하게 자라주는 아이가 감사했다. 조금씩 내려놓고 몸을 챙기니 다시 삶이 즐거웠다. 물론 요리하는 엄마, 청

소하는 엄마는 잠시 내려놓았다. 안 한다고 죽지는 않더라고?

　잠시 쉬었다고 큰일이 나는 건 아니더라고?

　큰일 나는 줄 알았다. 일하고 싶으면 일에 집중해야 한다고 생각했다. 언니가 육아할 때 그렇게 잔소리를 했다. 이제 생각해 보면 엄마의 마음을 이해하지 못했던 거다. 각자가 중요하게 생각하는 가치가 다르다는 것을 몰랐다.

　언니, 고맙고 미안해

　아프지 마. 우리 행복 하자.

또 다른 나의 인생

걷기를 시작하면서 걷기지도자 자격증을 땄다. 배우고 싶은 욕구가 강한 나이다. 잘 배우고 싶어서 일단 시작했다. 자격증은 땄지만, 많이 부족했다. 실전에서 부딪치며 성장해야 했다.

수많은 공예 자격증으로 잘 접목하며 일하고 있지만, 걷기지도자 자격증을 따면서 걷기 프로그램도 하게 되었다. 뭐든지 배우면 써먹는

다. 그래야 나도 실전에서 배우고 성장한다.

처음이라 부족했지만, 그만큼 열심히 했다. 너무 열심히 했다. 피곤하기도 하지만, 그 안에서 좋은 인연을 만나게 됐다.

즐거웠다. 나의 건강도 챙길 수 있고, 소소한 수입도 있으니 나에게는 또 다른 경험이었다. 더 성장하려면 시간 투자해야 한다. 잘할 수 있을까? 즐겁게 할 수 있을까? 나, 돈도 벌어야 하는데?

사진 찍고, 글 쓰는 게 재밌을 때쯤, 제주도에서 많은 경험을 할 수 있을 것 같은 시민기자단을 하게 되었다. 새로운 사람들을 만나게 되었고, 그곳에서 제주토박이는 나뿐이었다.

나와 다른 시선으로 바라보는 제주는 단점도 있었지만, 제주에 살고 있음이 얼마나 감사한지 새롭게 느끼게 되었다. 장점만 받아들였다. 그곳에서도 열심히 활동했다. 그러다 보니 새로운 전환점이 되었고 어느새 N잡러가 되어있었다. 그곳에서는 내가 어디 사는지, 몇 살인지, 학교 어디 나왔는지, 어떤 일을 하고 있는지 묻지 않는다. 어쩌면 그게 더 좋았는지 모르겠다.

4장 나도 처음이야.

사실은 나도 처음이야.

엄마도 못 해~

　수영장을 갔다. 물을 좋아하는 아이는 튜브에서 놀다가 허우적허우적하더니 수영하려고 한다. 알려주고 싶은데 나도 수영을 못한다. 어릴 적 물에 빠질뻔해서 물이 무섭다. 무서워하는 나에게 힘을 주는 아이

　"엄마도 해봐! 괜찮아~ 엄마도 할 수 있어!"

그러고는 나에게 본인이 터득한 방법을 이야기해 준다. 기특하다. 엄마 몸이 더 안 따라주네?

엄마도 못 하고 알려주지 않았는데 잘하는 아이. 꼭 내가 알려주지 않아도 아이는 할 수 있다. 내가 전부 다 잘하려고 하지 않아도 된다. 모르면 물어보면 된다. 물어보는 것도 부끄러워서 잘하지 못했던 나의 어릴 적. 부끄러웠는지 어떤 마음인지는 솔직히 기억나지 않는다. 이것저것 궁금한 게 없었다. 그래서 엄마도 못 한다. 못한다고 뭐라 하지 않고, 나에게 하나씩 알려주는 아이가 기특하다.

아이가 궁금한 게 있으면 같이 찾아본다. 아이가 하고 싶은 게 있으면 같이 해본다. 내가 하기 싫은 거 하기 싫다고 한다. 함께 할 수 있는 건 함께한다. 아이가 더 잘하고 엄마가 못하는데 자꾸 하자고 할 때는 스멀스멀 짜증이 올라올 때도 있다. 하지만 다시 차분하게

"엄마 이거 잘하지 못하겠는데? 차니가 알려줄래?"

일단 한번 해보는 거야!

두려움이 많은 엄마! 완벽해야 하는 아들! 그러다 보니 시작하지 못하는 것들이 많다. 일단 우리 시작해 볼까?

내가 잘 알려주고 싶지만 나도 처음인 게 너무 많다. 어릴 적 누군가가 알려줬으면 좀 더 편했을까? 선택의 폭이 넓었으면 더 좋았을까? 라며 늘 어릴 적 경험 부족을 아쉬워한다. 그래서 아이에게도 그런 아

쉬움이 없도록 다양한 경험을 알려주고 싶다. 그러려면 나부터 다양한 경험을 해야 한다. 다른 사람들보다 늦게 출발하지만, 이제라도 알아차렸잖아? 그리고 우리는 지금 실천하고 있잖아!! 일단 한번 해보는 거야!!

엄청 글을 잘 쓰는 작가들은 많다. 나는 잘 쓰지도 못하고, 잘 쓰고 싶은 욕심도 없다. 하지만 나는 지금 쓰고 있다. 누군가는 "하는 것도 많다. 그런 것도 하냐?"라고 하지만 누군가는 "대단하다! 응원한다.!"라고 말해준다. 부정은 발로 차버리고 긍정만 받아들이자.

그리고 나 역시 누군가에게 긍정적인 에너지만 나눠주자! 나 같은 사람도 일단 그냥 썼어!! 그러니 너도 할 수 있어! 그러니까 일단 해봐!

배워서 써먹기

어릴 때 많이 경험하지 못해서일까? 배우는 게 너무 즐겁다. 남들은 이미 알고 있지만 나는 처음인 게 너무 많다. 그래서 늘 신기하고 즐겁다. 기초부터 하나씩 알려주는 사람이 있지만, 당연히 안다고 생각하고 생략하는 사람들도 많다. 다 자기 기준이다. 어린이집 교사는 주황, 초록색 섞는 것을 당연히 안다고 생각했다. 아니었다. 당연한 건 없었다. 나 역시 잘 안다고 생각하고 말해주지 않는 사람들이 있다. 나 몰랐는데? 당연한 건 없다.

"이것도 몰라?"

"응! 몰라!"

아이들을 많이 만나서 그런지 나도 기초부터 알려주는 게 좋아서 그런 것인지 늘 초보자 기준에서 알려준다. 배우려고 온 사람들인데 기초부터 튼튼히? 알고 있는 사람들은 답답할 수도 있겠지만, 처음인 사람들은 쉽게 설명해 줘서 고맙다고 한다.

나 역시 부족하지만 내가 아는 부분을 알려주는 게 좋다. 내가 배워서 새롭게 안 사실이 있으면 나처럼 도움이 필요한 사람에게 알려준다.

공짜로? 세상에 공짜가 어딨어! 나도 돈 주고 배웠는데? 물론 하나라도 더 알려주고 싶은 사람이 있다. "이거 어떻게 했어요?" 순수하게 물어보면 순수하게 답해준다. 수익을 내기 위해 물어보면 나는 그냥 알려주지 않는다. 공은 공이고, 사는 사다. 공적인 일과 사적인 일은 엄격히 구별한다. 배운 건 써먹기! 잘 써먹어야지!

초등학교 입학하기 전부터 덧셈, 뺄셈, 곱셈, 나눗셈을 다 하는 아이. 학교 가서 지루하다고 하면 어떡하지? 그래! 그러지 않게 하자!

"엄마! 괜찮아, 복습한다고 생각하면 돼!"

내가 아는 게 다른 사람도 다 안다고 생각하지 말라고 아이에게 이야기한다.

"그것도 몰라?"

듣고 싶은 말은 아니지만, 결혼하고 자주 들은 말이기도 하다. 어른들도 모를 수 있다는 것을 아이에게 이야기해 준다. 그래서일까? 내가 모르면 하나씩 설명해 준다. 고맙다.

해결사 찾기? 다 잘될 거야!

글을 쓰는 순간에도 사건은 일어난다. 오늘 글 좀 써야지! 오늘 뭐 좀 해야지! 할 때 갑자기 걸려 온 전화. 수많은 대화 속에서 처음이라 나도 어떻게 해야 할지 모르는 사건이 많다. 그럴 때마다 나는 해결사를 찾는다. 해결사가 정답을 알려주는 건 아니지만 나의 좁은 시야에서 제삼자의 관점에서 시야를 넓힌다.

대화 속에서 나만의 해결 방법을 찾는다. 예전에는 꼭 답을 구해야만 했다. 그게 정답인 것처럼. 이젠 아니다. 인생에, 육아에 정답이 어딨어? 이 방법, 저 방법 나에게 맞는 방법을 써본다.!

육아가 이렇게 어려운지 몰랐다. 그냥 잘 크길 바랐다. 아이가 나를 힘들게 하는 건 없다. 오히려 내가 힘들 때마다 아이가 응원해준다. 주변에서 더 힘들게 할 뿐이다. 그럴 때마다 아이가 툭 던지는 한마디

"차니, 미안해~"

"아니야~ 엄마, 잘하고 있어!"

아이로 인해 내가 힘을 얻는다. 살아갈 이유가 생긴다. 아이에게 배우는 게 더 많다. 아이가 커가면서 나도 성장한다. 마음의 근육도 더 커진다.

신중한 편이지만 결정을 잘 내리지 못할 때가 있었다. '내가 잘할 수 있을까?'라는 생각에 시작하기가 두렵다. 결국은 실패를 안 해보겠다는 거 아닌가? 실패도 해봐야 성공도 하지! 최선을 다한 나에게 칭찬보다는 자책을 많이 하는 편이었다. 업무를 끝내면 늘 뒤돌아본다. 그리고 꼭 묻는다.

"오늘 어땠어?"

칭찬을 듣고 싶어서가 아니라 나의 부족함이 없는지 늘 확인받고 싶

어 한다. 다음에 더 잘하고 싶어서 나보다 더 잘하는 사람을 찾는다. 지금 글을 쓰면서 드는 생각. 참 피곤한 나였다.

요즘은 걱정 없이 하루하루를 산다. 먼 미래보다 현재를 더 즐긴다. 과거에 발목 잡혀있는 상태에서 미래에 대한 걱정만 많았다. 그러다 보니 이것저것 해보지 못했다. 할 수 있는 시간과 기회가 있음에도 불구하고 놓치는 경우도 종종 많았다.

그래서 지금은 할 수 있을 때 한다. 물론 지금 하고 싶어서 더 중요한 걸 포기할 때도 있다. 어쩌면 포기해도 되는 중요함 아닌가?

해결사를 찾고 조언 얻기도 좋지만, 긍정 에너지로 스스로 칭찬도 해야지! 잘하고 있음을 끊임없이 칭찬한다.! 이제는 부정적인 사람을 멀리하고 긍정적인 사람을 가까이한다.

어차피 다 잘될 거야!

일단 하고 싶은 거 할게! 라고 하지만,

일하다 보면 밥을 못 챙겨 먹을 때가 있다. 일할 때는 배고픈지도 모르다가 나중에 배가 고파진다. 맛있는 걸 먹으면 금세 기분이 좋아진다. 근데 잘 챙겨 먹지도 못하고 정신없이 바쁜 날에는 몸이 지친다. 그러다 보면 예민해진다. 퇴근해서 쉬고 싶다. 그러다 보면 아이와 함께하는 시간도 짧기만 하고, 즐겁지 않게 된다. 누구를 위한 삶인가?

그러면서 선택한 게 낮에 업무도 하고, 놀기도 한다. (늘 그런 건 아니지만) 하루는 일하면, 하루는 쉰다. 바쁜 일을 끝내면 나에게 보상을 준다. 언제부턴가 이렇게 바뀌고 있다. 열심히 일하고 귀가해서 피곤해서 아무것도 안 하는 나를 알아차린 순간, 내 몸에게 미안한 행동이었다. 쉬기도 해야 하는데 그러지 못했다. 15년 넘게 일만 해왔다. 잠시 쉬어도 괜찮다며, 나중에는 못할 것 같은, 일단 지금 하고 싶은 것들을 해본다. 단! 아이가 학교에 가 있을 때!!??

육아하면서 일하면서 하고 싶은 걸 한다는 건 완전히 자유롭지는 않다. 그러다 보니 짧게 경험해 본다. '하고 싶은 거 할게!'라고 하지만 솔직히 그러진 못한다. 좀 뻔뻔해 보지?

공원 산책하기

계절별로 피는 꽃 사진찍기

예쁜 카페 가서 맛있는 거 먹기

반나절 걸어야 하는 올레길을 가거나, 왕복 2시간 넘는 장거리는 힘들다. 중간중간 업무를 해야 해서 시간을 쪼개야만 한다. 하고 싶은 거라 해서 거창할 것 같지만 그냥 일상을 즐기는 거다. 예쁜 카페 가서 사진 찍고 맛있는 거 먹다가, 노트북 켜서 일하는 나를 발견한다. 디지털노마드 될 수 있나요?

아직은 산책하고, 오름 다니고, 꽃 보러 다니고, 사진 찍고 이런 게 즐겁다. 다 신기하기만 하다. 다 예쁘다. 자연이 주는 행복이다. 그러다 보면 내가 하고 싶은 게 또 생기겠지?

🐞 5장 누가 보나요?

누가 볼 것부터 걱정하다니 이럴 때 하는 말 '걱정도 팔자다.'

#05

누가보나요

누가 보나요?

주말. 일을 끝내고 돌아오는 버스 안. 누구에게 보여주기 위함이 아닌 그때그때 솔직하게 느끼는 감정을 기록한다. '누가 볼까?'라고 생각하며 글을 쓰게 되면 어지럽기 시작할 것 같다.

블로그에 글은 오히려 쉽게 적힌다. 누군가에게는 도움이 되었으면 하는 정보성 글이다. 하지만 지금 내가 쓰고 있는 글은 나의 이야기를

쓰다 보니 누군가 이 글을 봤을 때 반응이 문득 생각났다.

이런 생각하게 된 사건이 있었다. 제주도는 정말 좁다. 제주도 토박이라 조용히 살아도 건너 다 안다. SNS에 사진 한 장이라도 올리면 돌고 돌아 나 또는 가족에게 들려온다. 좋은 말보다는 비꼬는 말이 많다. 이런 것 때문에 가족과 힘든 시기도 있었다. 그럼 안 하면 되는 거 아니냐? 맞는 말이다. 안 하면 된다. 하지만 나는 얻은 게 더 많았다. 누구는 뻔뻔하게 올리고, 누구는 아예 안 올린다. 나도 이것도 저것도 아니라서 그런가?

사진 찍는 거 좋아하고, 정보성 글 쓰고 누군가에게 도움 되는 걸 좋아하는 나는 시민기자단을 활동 시작으로 다양한 활동을 하게 되었다. 그러다 보니 내가 좋아한 것을 즐겁게 하면서 경험도 쌓고, 작지만 의미 있는 수입도 생겼다. 물론 내가 오랫동안 했던 일과 비교하면 크지 않지만. 새롭게 도전하는 나를 스스로 칭찬하며 나의 자존감을 조금씩 끌어올리고 있다.

그러니 태클은 사양합니다!

그러면서 전자책 가격을 고민하고 누가 살까? 사줄까? 사라고 할까? 하는 생각은 나만 그런 건가요?

독자 1명 확보

글을 쓰다 멈췄다. 글 쓴다는 핑계에 아이와 함께하는 시간을 줄이면 안 될 것 같아서 전보다 더 아이와 놀아준다. 그러다 보니 글 쓸 시간은 더 없고 잠은 더 많아졌다.

어느 날, 아이와 내가 쓰던 글을 읽는다. 그땐 크게 생각 안 했는데 지금 글을 쓰고 있으면서 독자 1명 확보되었다는 생각에 즐겁다.

아이가 읽으면서 재밌어야 할 텐데.

요즘 밤마다 엄마 어릴 적 이야기를 해달라고 한다. 초등학교, 중학교, 고등학교, 대학교 이야기. 잊고 있던 나의 옛 시절을 쥐어짜 내면서 이야기한다. 아이의 1살부터 7살까지의 이야기도 한다. 보통 나 어릴 적 이야기를 하는데, 요즘 하나씩 새로운 기억이 떠오른다. 지우고 싶던 과거에서 소중한 추억도 지워버렸는데 아이와 대화하면서 다시 소중한 추억을 꺼내기 시작했다.

아! 아이 이야기 쓸걸! 그랬으면 아이가 엄청나게 좋아했을 텐데! 왜 그 생각을 안 했지? 폴더를 보니 태어날 때부터 월별로 정리된 사진첩을 보면서 참 부지런했다는 생각이 들었다. 이 책이 다 완성되지도 않았는데 벌써 다음 주제를 생각하는 나를 발견한다. 처음이 어렵지. 그 다음은 기회가 더 오지 않을까?

처음이라 첫 시작을 어떻게 해야 할지도 모르겠고, 그러다 보니 자꾸 미뤘다. 시작이 반이라는 말이 정말 맞는 것 같다. 글쓰기 양식을 받고 저자 소개, 책 소개 이것부터 막혀서 글쓰기를 내팽개쳤었다. 내 소개? 약력? 매년 자격증을 따고, 이력서와 계획서, 견적서를 수시로 쓰지만, 저자 소개는 나에겐 너무 어렵다. 한 명은 봤으면 해서 독자 1명을 확보했다.

가볍게 일단 쓰자! 라는 마음에서 뭔가 잘 써야 할 것 같은 욕심이 생기는 걸 보며 참 우스웠다! 그러다 이렇게 마감 압박이 생겨버렸지만, 독자 1명을 위해 열심히 써야겠다!

아들!! 읽어줄 거지?

아이도 숙제 10번 쓰기를 하는데, 엄마 100장 쓰기 힘들겠다며 응원해 준다. 고맙다.

조금 더 내려놓으세요!

공감을 잘한다. 그래서 누군가의 이야기를 들으면서 한없이 공감하고 감정 이입한다. 그러다 보면 함께 화내고, 울고, 웃는다. 너무 감정 이입이 돼서 그 사건을 해결하기 위해 무언가를 하고 있다. 나의 에너지를 다 소진해 버릴 때도 있다. 왜 그래? 왜 그런 거야? 그게 나야!

가끔 못 들은 척, 못 본 척한다. 안 그러면 내가 어느새 그 일을 함께

하고 있다. 물론 싫거나 나쁜 게 아니다. 다만, 너무 많은 감정이 소비되어 지쳐버리면, 내 아이를 못 챙길 때가 있다.

　신중하고 완벽해지려고 한다. 꼼꼼하고 세심하다. 꼼꼼하게 처리하다 보니 일을 지연하기도 하지만, 일을 꼭 마무리한다. 모든 사람이 만족할 수 있도록 최선을 다한다. 어떻게 모든 사람이 만족할 수 있겠니? 아무리 내가 노력하고 잘해도 자기 기준에 만족, 불만족이 있다. 그러니 너무 애쓰지 않아도 된다. 조금 더 내려놓자. 그리고 아이에게도 알려주자. 완벽하지 않아도 괜찮아.

아쉬움보다는 일단 시작!

아쉬움을 이야기하라면 끝이 없을 것 같다. 퇴고? 그게 뭔가요? '글을 다 쓴 다음에 다시 읽어보면서 마지막 손질을 하는 것'실은 퇴고도 제대로 못 할 것 같아요. 그렇다고 가만히 앉아있다고 글이 써지나요?

챌린지처럼 매일 매일 인증했으면 엄청나게 잘했을 텐데 아쉽다. 글을 잘 썼다는 게 아니라 아마 매일 글을 쓰고 인증하고 마감을 미루지 않았을 거다. 사실 며칠 인증하다가 의무가 아니고, 다른 사람도 안 하길래 나도 자연스럽게 하지 않았다. 역시 나는 혼자 하는 일은 어렵다. 그래도 일단 시작했다! 아니 끝냈다! 잘했다!

　나처럼 일상 일기를 쓰고, 전자책을 내기도 하니, 나를 보면서 누군가는 희망이 되었으면 하는 작은 바람이 있다. 나보다 더 잘하는 사람 말고, 아직 시작을 못 하고 망설이거나 두려운 사람이 있으면 내가 손 내밀어 줄게요. 함께 일단 시작!

다음에 또 만나요~!

다음에 쓰고 싶은 이야기들이 생각난다. 아이 기록도 하고 싶고, 제주의 예쁜 곳들을 소개해 주고도 싶다. 기회가 올까?

기회가 안 올지도 모르니 아이에게 보여줄 예쁜 사진을 넣어야겠다.

예전 사진첩을 찾기 시작했다. 태어날 때부터 월별로 정리된 사진첩. 그리고 하나씩 보면서 옛 추억에 잠겨 울고 웃는다.

　이렇게 나의 첫 에세이 도전은 끝이 나고 있다. 다음에는 아이와의 제주에서 일상을 여행처럼 즐기며 구석구석 아름다운 곳도 알려주고 싶다. 뭐, 기회가 없으면 어때? 지금처럼 블로그에 기록하면 되지!

6장. 제주 토박이 첫 경험

제주에서 우리의 첫 경험. 긴장되니?

제주에 살아요.

"제주 토박이예요? 아닌 줄 알았어요~" 육지 사람을 만나면 자주 듣는 말이다. 사투리를 안 써서 그런가? 어른들하고는 자연스럽게 사투리 쓰는데.

아이도 제주에서 태어났다. 우리는 제주 토박이. 하지만 제주에서 할 수 있는 것들을 많이 해보지 못했다. 그래서 하나씩 도전해 본다.

제주에서 일상을 여행처럼. 그렇게 우리는 하나씩 시작한다.

어릴 적 주말마다 밭에 갔다. 나의 놀이터였다. 여름에는 약 치는 아빠, 줄 잡아당기는 엄마, 나는 고사리 풀을 뜯어 그늘에 누워서 놀았다. 조금 컸을 때는 줄을 잡아당겨 줬다. 아마 거의 놀고 조금 도와드렸던 것 같다. 겨울에는 귤을 땄다. 20kg 콘테나를 무릎에 멍이 들 정도로 들었다. 누가 시킨 것도 아닌데 그냥 그렇게 열심히 도왔다.

콘테나 위에서 놀았으며, 손수레를 밀다 턱이 나갈 뻔하기도 했다. 경운기를 타고 다녔으며 여기저기 다치는 건 일상이었다. 사회생활을 하면서 일을 도와드리지 못했다. 그렇게 나의 삶을 살았다. 아이와 함께 귤밭에 많이 가보지도 못했다. 누구는 귤 체험을 돈을 주고 한다. 올해는 아빠 귤 따기를 도와드려야겠다. 제주라이프 찐으로 즐겨야겠다.

바다가 좋아? 숲이 좋아?

엄마는 물을 무서워하지만, 아이는 물을 좋아한다. 바다를 좋아해서 바다만 보면 바닷속으로 들어가려고만 한다. 어릴 적 초등학교 끝나면 집에 가는 길 고망물(용천수)가서 놀았다. 바다에서 굴 캐서 먹기도 한 것 같다. 여름이면 아빠랑 바다에서 고메기(보말) 따기를 했다. 요즘은 함부로 채취하면 안 되지만 나의 어릴 적 추억.

아이와도 하교 후 근처 물놀이를 간다. 바다 공포증이 있다는 아이

는 바다를 조금 싫어한다. 바람 공포증으로 모자가 날릴까 모자 쓰는 걸 싫어한다. 대신 물은 좋아한다. (옆에서 아이가 자기는 바다가 아니라 물을 좋아하는 거라며 책에 써달라고 한다.)

아이는 물, 나는 숲을 좋아한다. 숲에 있는 계곡을 가야 하나? 어디든 너와 함께라면 행복해.

스페셜. 차니가 쓰는 글

"엄마가 엄청 열심히 쓰니까 잘 봐주세요. 안녕히 계세요~ 차니는
이제 안 쓸 거임."

아이에게 어떤 글 써볼래? 했더니 'ㅋㅋㅋㅋㅋ'라고 한다. 그대로 쓰여 있는 노트북을 보더니 진짜 쓸 거야? 라고 하더니 두 줄 채워 준다. 사진도 골라준다. 아이 사진도 허락받았다. 그럼, 이제 진짜 끝!

에필로그

4월 1일부터 시작된 글쓰기. 작심삼일이 되어버린 글쓰기는 시간 여유 있으니, 나중에 써야지 하다 보니 2개월이 금방 흘러버렸다.

기존 마감일보다 더 시간을 주었음에도 이번 프로그램은 기한 내에 잘 마무리 못 해서 아쉽다. 갑자기 들어오는 업무도 해야 하고, 주말마다 행사도 하고, 육아도 해야 하고, 솔직히 핑계 아닌가?

표지 사진도 폴더에 있는 사진 쓴 건데 다시 잘 찍고 싶고, 소제목도 추가로 넣고 싶다. 퇴고도 시간 내서 천천히 하고 싶고, 대표님께 한번 봐달라고도 하고 싶지만, 그 누구에게도 귀찮게 하지 않고(?) 끝냈다. 마음을 비우자. 이렇게 쓰는 게 맞는 건가 싶기도 하지만 맞고 틀리고가 어딨어! '하룻강아지 범 무서운 줄 모른다'처럼 그냥 덤볐다.

이렇게 글쓰기 기회를 주신 해피곰, 좋은 프로그램을 진행해 주시는 이선경 오아시스 대표님, 책을 출판해 주시는 박산솔 솔앤유출판사 대표님, 책 표지를 디자인하며 제목도 수정해 주신 오은정 편집디자이너

님, 모두 모두 감사합니다. 좋은 강의와 함께 좋은 기회가 나에게 와서 2024년 봄 역시 새로운 도전을 했다. 나의 자존감이 쑥쑥 올라가면 아이에게도 좋은 영향력을 주고 싶은 〈나도 처음이야〉 굿바이

나도 처음이야 제주도 토박이 첫경험

발 행 | 2024년 07월 26일
저 자 | 오용선
표지일러스트 | 이은찬, 오용선
디자인 | 오은정
인권표현검수 | 이지민
바른우리말검수 | 이지민
후원 | 제주특별자치도, 제주문화예술재단
주관 | 서귀포 오아시스
미디어에디터 | 최인서
작품편집, 에이전트 | 박산슬, 이정숙, 이선경
펴낸이 | 한건희
펴낸곳 | 주식회사 부크크
출판사등록 | 2014.07.15.(제2014-16호)
주 소 | 서울 금천구 가산디지털1로 119, SK트윈타워 A동 305호
전 화 | 1670 - 8316
이메일 | info@bookk.co.kr

ISBN | 979-11-410-9747-9

www.bookk.co.kr

2024 엄마의 활주로 '함께육아에세이'의 취지에 맞게 작가의 감정 표현과
아이의 언어 표현을 지키는 방향으로 교정 교열 하였습니다.

본 책은 강원교육모두체, 학교안심(확장)바른돋움체가 사용되었습니다.

본 책은 제주특별자치도와 제주문화예술재단의 후원을 받아 제작되었습니다.